おじぞうさんの
おけしょうがかり

原案　御崎 あおい　　作・絵　たさき きょうこ

ここは、ひろい　うみがみえる　ちいさな　おかのうえ。
うみねこの　なくこえが　きこえ、とおくからは　しおのかおり。
そこへ、さく　さく、
ゆっくりとした　あしおとが　きこえてきました。
おばあちゃんです。

　おばあちゃんは　にちようび、いつも　このおかに
のぼります。おおきな　きのそばに　しゃがみ、
しわしわのてで　はっぱを　はらうと、
そこには　おじぞうさんが　ありました。

「さあ、きょうも　きれいに　なろうかね」

おばあちゃんは、バケツに　ひたしてあった　ふきんをしぼり、
おじぞうさんを　ていねいに　ふきました。

それから　まえかけを　こうかんして、おはなを　おきます。
さいごに　まわりを　ほうきで　はいたら、
おじぞうさんは　みちがえるように　ぴかぴかに　なりました。

　そうじがおわると、おばあちゃんは　おじぞうさんの
そばに　こしをおろしました。おおきく　いきをついて、
じっと　うみを　みつめます。いま　あるのは、かぜの　おとだけ。
これが、おばあちゃんの　しゅうかんでした。

　そうして、むかし　いっしょに　おそうじをしていた
おかあさんのことを　おもいだすのです。

ざざっ　ざざざっ。

うしろのほうで　おとが　しました。

おばあちゃんが　おどろいて　ふりむくと、

「おばあちゃんだ！」

「こんにちは」

こどもがふたり、まんまるなめで　おばあちゃんを
みつめていました。

「ぼくたち、たんけんしててさ、まよっちゃったんだ」

「そうだったの。だいじょうぶよ。
こっちの　みちから　おりられるから」

おばあちゃんが　そういうと、

「ありがとう。おばあちゃんは
なにしてたの？」

「おじぞうさんの　おせわよ」

「おじぞうさん？」

　おばあちゃんは、ぴかぴかになった
おじぞうさんの　ほうを　むきました。
「かわいい！　まえかけ　つけてる」
「ぼく、しらなかった。なんで　こんなところに
おじぞうさんがいるの？」

「あら　ききたい？」

ふたりは　うなずきました。

おばあちゃんは　にこっとわらって、
ゆっくりと　はなしだしました。

「ひゃくねんくらいまえ、
このまちに　おおきな　じしんと
つなみがあって、たくさんのひとや
いえが　ながされてね。だけど
みんな　へこたれずに　がんばって、
やっと　もとどおりの　くらしが
できるように　なったの。
　そのとき、みんなで
このおじぞうさんを
つくったのよ。

　なくなったひとが　あんしんして
ねむれるように、みんなが　さいがいを
わすれないように、これから　うまれる
こどもたちを　みまもってくれるように……。
いろんな　ねがいを　こめたんだね。
　でも、じかんが　たつにつれて、
だれも　こなくなったの。
みんな　わすれちゃったのね」

　そういうと　おばあちゃんは、さびしそうに　したを
むいてしまいました。しばらくしてから、
おんなのこが　くちを　ひらきました。
「ほかに　おじぞうさんのこと　おぼえてるひと　いないの？」
「みいんな　まちを　でていってしまったの」
　ふたりは、ふだん　うみがわに　いかないことを
おもいだしました。ひとも　おみせも　すくないからです。
　でも　このままでは、みんなが　わすれてしまう。
どうしたらいいんだろう。ふたりは　かなしくなって、
いっぱい　いっぱい　かんがえました。

「でも　ぼくは　いま　おぼえたよ。じしんのことも、
おじぞうさんのことも、おばあちゃんのことも」
「そうだ！　みんなにも　ここに　きてもらおうよ。
みんなに　おじぞうさんを　みてもらったら
さみしくないでしょ。みんなで　はなそうよ、ね」

おばあちゃんは、きゅっと　めを　ほそめて、
うれしそうに　いいました。
「きっと　おじぞうさんも　よろこぶわ」

おんなのこは　あったかい　きもちになって　いいました。

「それにね、ここから　みるうみ、とっても　とっても
きれいだもん。みんなに　みてほしいな」

そのつぎの　にちようび、ふたりは　たくさんの
ともだちを　つれてきました。
さあ、ピクニックの　はじまりです！

みんなは　おばあちゃんの　おてつだいをして、
いっしょに　おじぞうさんを　きれいにしました。

それから　おにぎりや　サンドイッチを　たべたあと、
おばあちゃんの　おはなしを　ききました。

みんなは　はじめてきく　むかしの　まちのはなしに
とても　おどろきました。

そのひ、おかは、この100ねんのなかで
いちばん　にぎやかに　なりました。

みんなが　かえって、おかは　また　しずかになりました。

でも、もう　おじぞうさんは　さみしくありません。

おんなのこが　くれた　はなわの　ぼうしが、
ゆうひで　かがやいています。

おじぞうさんの　ほっぺが、ピンクいろに　そまりました。

おじぞうさんの　おけしょうがかりは、
このあとも　ずっと　つづいています。

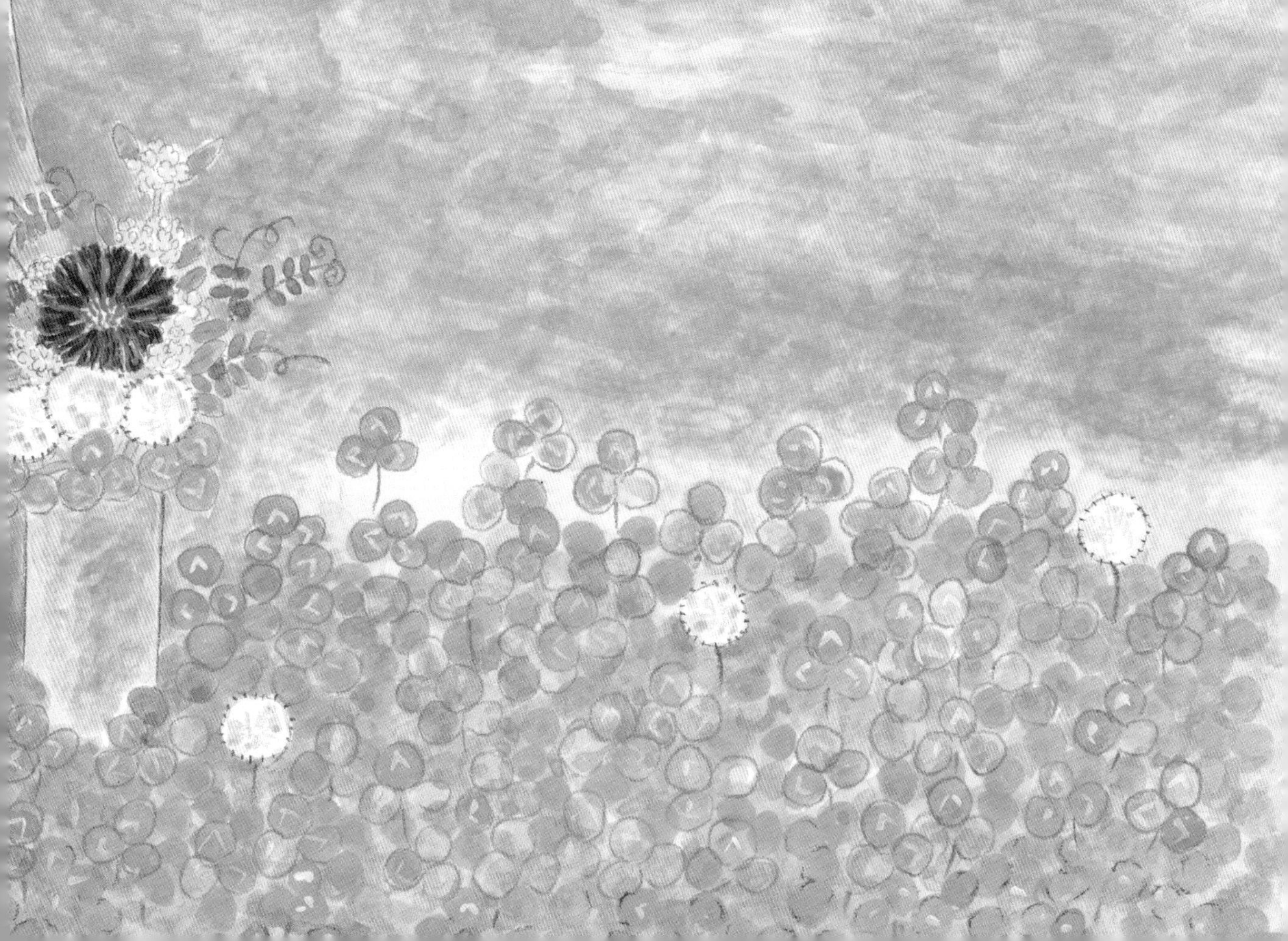

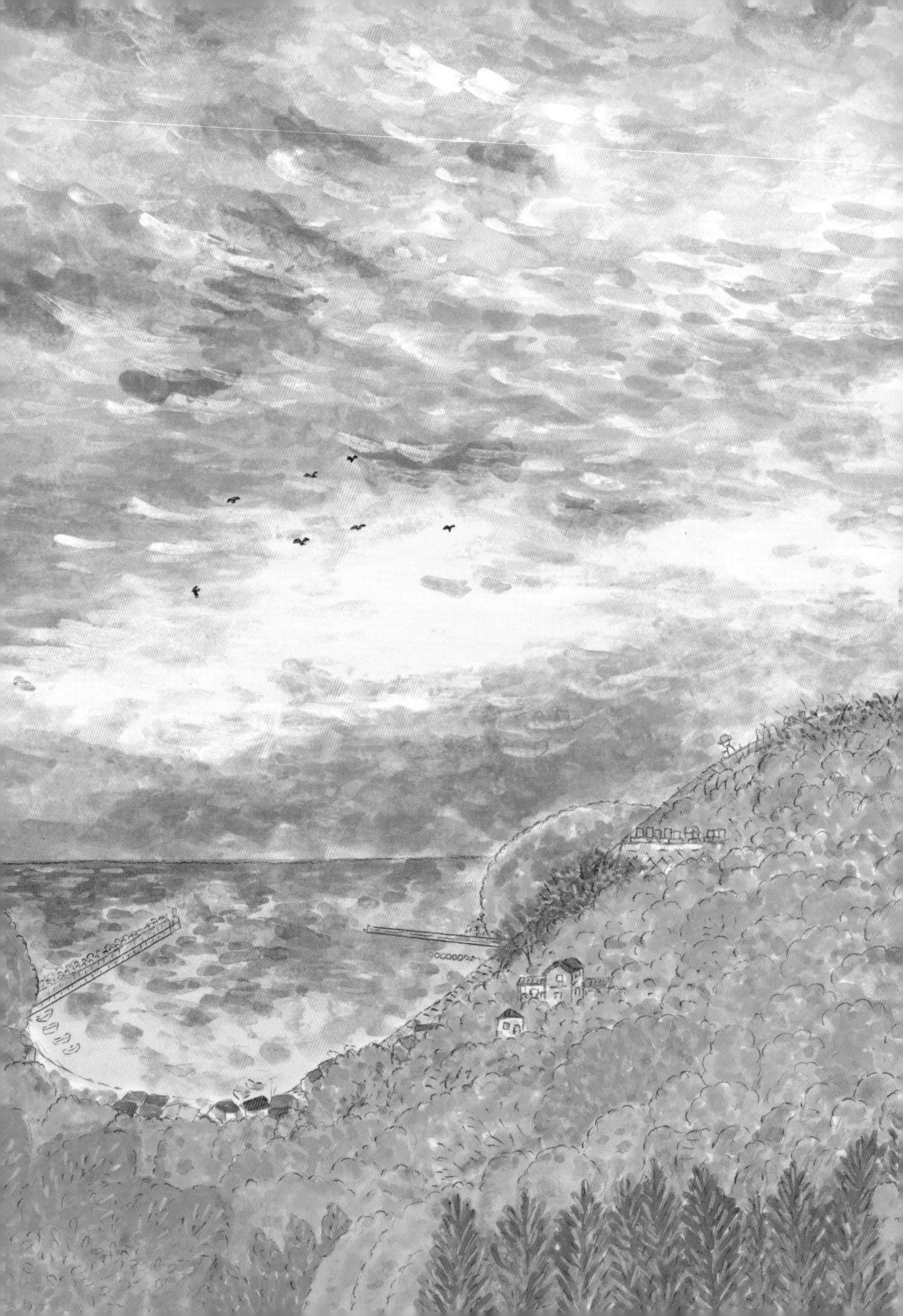

自然災害伝承碑について

わたしたちの住む日本は、むかしから地しんや、つなみなど自然災害が多く、また災害の記録が多く残されている国です。むかしの人々は災害が起こった日付や、ひ害の種類や大きさ、災害から得た知恵といった様々なことを、文書や絵、石碑にかいたり、物語や歌、行事を通して語りつぐなど、いろいろな方法で地いきの人々に伝えてきました。これを「**自然災害伝承**」といいます。このお話に出てきたおじぞうさんのような、石碑やモニュメントの形になっているものは「**自然災害伝承碑**」とよばれ、災害を伝える方法のひとつです。

＊ 日本全国にある「自然災害伝承碑」は、国土地理院のウェブ地図「地理院地図」で見ることができます。
国土地理院地図　https://www.gsi.go.jp/bousaichiri/denshouhi.html

参考『災害伝承の大研究――命を守るために、どう伝える？』（佐藤翔輔監修、PHP 研究所、2021 年）
内閣府ウェブサイト https://www.bousai.go.jp/kohou/kouhoubousai/r04/105/special_02.html

作者のことば

人の力でつなぐ先人の思い

御崎　あおい（原案）

　第一回防災100年えほんの原案募集を知ったのは、大学の掲示板に貼られたポスターでした。キャッチコピーは、「100年先の未来まで。伝えたい、大切なこと…」。自分だったら何を伝えたいだろう。思い至ったのは、「先人が遺した思いを知ってほしい」でした。

「自然災害伝承碑」をご存知でしょうか。慰霊・警鐘・伝承、そして復興への希望。込められた思いは碑によって様々です。しかし今、植え込みに埋もれたり字が読めなくなったり、顧みられない事例がいくつもあることがわかっています。たとえ人の寿命より長く残る石碑であっても、伝え継ぐために人の力は不可欠だ。そう思っていました。

　京都市左京区の出町柳（でまちやなぎ）駅から北に少し歩いたところにある養正（ようせい）学区。ここで私はあるお地蔵様達と出会いました。驚いたのはそのユーモラスな姿。白粉を塗られ、ゆるいタッチで顔を描かれ、赤や緑の原色で周囲を彩られています。このようなお地蔵様は市内だけでなく全国にあるそうで、人呼んで「化粧地蔵」。罰当たりと思うでしょうか？　いいえ、地域の方々が手を加えながら長く愛されている姿は私の理想そのものでした。そこから着想を得て、このお話を作ることができました。

　絵本に出てくるおばあちゃんは私の祖母がモデルです。いつも腰が痛そうなのにてきぱきと家事をこなす祖母。小さな体に積み重ねてきた歴史を体現しているようで、尊敬しています。

　たさきさんの素敵な絵の力を借りて、絵本という一つの形にしてお届けできたことを嬉しく思います。この本も人から人の手に渡って、長く残っていくことを祈ります。

心のふれあいを描く

たさき　きょうこ（作・絵）

　このお話の原案を初めて読んだ時、おばあちゃんと子ども達の交流がとてもほほえましく、ぜひ絵本に描きたいと思いました。

　絵を描き始める際に一番気になったのは、この丘はどこにあるのだろうということでした。御崎さんに伺うと、特にモデルになった場所はないとのことで、わたしの頭の中には、子どもの頃を過ごした真鶴（まなづる）町の風景が浮かびました。真鶴町は神奈川県の南西端にある、海と緑にかこまれた小さな町です。高台から港や街並みを見渡すことができ、このお話の〝ちいさなおか〟にぴったりだと思いました。

　わたしは今まで「自然災害伝承碑」というものを知りませんでしたが、調べてみると真鶴町にも、関東大震災の伝承碑が二基あることがわかりました。町を訪れると、小さなおじぞうさんがあちこちに建っています。この絵本と同じように、ひっそりと町の人々を見守っているようでした。

　たった一人でおじぞうさんのお世話をしていたおばあちゃんは、子ども達に出会って、どんなにうれしかったことでしょう。子ども達はきっとはりきって、おじぞうさんのお世話をしただろうな。三人の心の距離が近づいていく様子は、絵を描いていて幸せな気持ちになりました。この絵本を通して、おばあちゃんと子どもたちの心の交流が、読者のみなさんにも、どうか伝わりますように。

作者紹介

御崎（みさき）　あおい

2000年大阪府生まれ。関西大学社会安全学部在学中。専門は都市防災。大学で演劇を始め、創作の楽しさにめざめる。シナリオ・センター大阪校にて脚本について学ぶ。絵本原案作成は今回が初めて。京都府在住。

たさき　きょうこ

神奈川県小田原市在住。画家。地域で子ども絵画教室、水彩画教室講師を務める。これまでの著作に『ななちゃんとくまちゃん①～⑥』（JULA出版局）、イラストに『母と子のおやすみまえの小さなお話365』（ナツメ社）・『むかしあそび図鑑』（ジャパンセールスレップ）がある。おおしま国際手作り絵本コンクール2019年金賞、2020・22年奨励賞、2021年入選。毎年カフェなどで原画展を開催。NPO法人「絵本で子育て」センター絵本講師、小学校図書室司書としても活動。
Instagram、X　@ kyoko.tasaki

この絵本は、プロジェクトによる
「防災100年ものがたり（絵本の原案）募集」の
入選作品を元に制作しました。
公式サイトで詳しい情報を公開しています。
ぜひご感想をサイトのフォームからお寄せください。

防災100年えほんプロジェクト
https://bosai100nen-ehon.org/

積水化学工業株式会社は
トップパートナー企業として
防災100年えほんプロジェクトを
応援しています。

おじぞうさんのおけしょうがかり

2024年3月17日　初版 第1刷発行

原　案　御崎（みさき） あおい
作・絵　たさき きょうこ
装　丁　宮川 なつみ
編　集　小橋 桜子
発　行　防災100年えほんプロジェクト実行委員会
　構成団体：ひょうご安全の日推進県民会議
　　（公財）ひょうご震災記念21世紀研究機構
　　阪神・淡路大震災記念 人と防災未来センター
　事 務 局：阪神・淡路大震災記念 人と防災未来センター
発　売　神戸新聞総合出版センター
　〒650-0044　神戸市中央区東川崎町 1-5-7
　TEL 078-362-7140　FAX 078-361-7552
　https://kobe-yomitai.jp/
印　刷　株式会社 神戸新聞総合印刷

ISBN978-4-343-01226-5　C0793